在第十八届中央纪律检查委员会第六次全体会议上的讲话

（2016 年 1 月 12 日）

习　近　平

人 民 出 版 社

图书在版编目(CIP)数据

在第十八届中央纪律检查委员会第六次全体会议上的讲话/
习近平 著. —北京:人民出版社,2016.5
ISBN 978-7-01-016207-2

Ⅰ.①在… Ⅱ.①习… Ⅲ.①习近平-讲话-学习参考资料
②中国共产党-纪律检查-工作-学习参考资料 Ⅳ.①D2-0
②D262.6

中国版本图书馆 CIP 数据核字(2016)第 095690 号

(RMC-ZJDXI-035-20160112)

在第十八届中央纪律检查委员会第六次全体会议上的讲话
ZAI DISHIBAJIE ZHONGYANG JILÜ JIANCHA WEIYUANHUI
DILIUCI QUANTI HUIYI SHANG DE JIANGHUA

(2016 年 1 月 12 日)

习 近 平

人民出版社 出版发行
(100706 北京市东城区隆福寺街 99 号)

北京新华印刷有限公司印刷 新华书店经销

2016 年 5 月第 1 版 2016 年 5 月北京第 1 次印刷
开本:880 毫米×1230 毫米 1/32 印张:1
字数:15 千字

ISBN 978-7-01-016207-2 定价:3.00 元

邮购地址 100706 北京市东城区隆福寺街 99 号
人民东方图书销售中心 电话 (010)65250042 65289539

在第十八届中央纪律检查委员会第六次全体会议上的讲话

（2016 年 1 月 12 日）

习　近　平

1993 年以来，我们党的总书记每年都在中央纪委全会上讲话，表明了党中央对党风廉政建设和反腐败斗争的高度重视和坚定决心。今年我的讲话时间作了调整，我先讲，下午王岐山同志代表中央纪委常委会作工作报告。工作报告经过中央政治局会议、中央政治局常委会会议审议，我完全赞成。下面，我讲 4 个问题。

一、党风廉政建设和反腐败斗争取得新的重大成效

我们党肩负着带领全国各族人民实现“两个一百年”奋斗目标、实现中华民族伟大复兴的历史使命，同

时也面临着“四大考验”、“四种危险”。完成历史使命，战胜风险挑战，必须管好党、治好党，确保党始终成为中国特色社会主义事业的坚强领导核心。

党的十八大以来，我们党着眼于新的形势任务，把全面从严治党纳入“四个全面”战略布局，把党风廉政建设和反腐败斗争作为全面从严治党的重要内容，正风肃纪，反腐惩恶，着力构建不敢腐、不能腐、不想腐的体制机制。中央纪委贯彻党中央决策部署，遵循党章规定，聚焦中心任务，推动党风廉政建设和反腐败斗争取得新的重大成效。主要表现在以下几个方面。

第一，严明党的政治纪律，夯实管党治党责任。我们坚持党要管党、从严治党，查处周永康、薄熙来、徐才厚、郭伯雄、令计划、苏荣等严重违纪违法案件，强调严明政治纪律和政治规矩，营造了旗帜鲜明讲政治、从严从紧抓纪律的氛围。我们要求各级党委扛起全面从严治党的政治责任，以严肃问责推动责任落实，层层传导压力，强化党员日常管理监督，拧紧管党治党的螺丝。中央纪委通报河南省委查处的新乡市委和市纪委原主要负责人履行主体责任、监督责任不力等一批问题，释放了有责必问、执纪必严的强烈信号。

第二，创新体制机制，扎牢制度笼子。全面从严治党的丰富实践，为党内法规制度创新奠定了坚实基础。

我们深入研究探索，汲取全党智慧，坚持依规治党和以德治党相统一，坚持高标准和守底线相结合，把从严治党实践成果转化为道德规范和纪律要求，党内法规制度体系更加健全。我们研究依规治党这一重大课题，坚持纪严于法、纪在法前，实现纪法分开，修订廉洁自律准则、党纪处分条例、巡视工作条例等党内重要法规，制定党委（党组）落实从严治党责任的意见。针对干部管理监督中的薄弱环节，我们完善领导干部报告个人有关事项、加强“裸官”管理等规定，推动制度建设与时俱进。

第三，持之以恒纠正“四风”，党风民风向善向上。党的十八大之后，党中央讨论加强党的建设如何抓时，就想到要解决“老虎吃天不知从哪儿下口”的问题。后来决定就抓八项规定，下口就要真正把那块吃进去、消化掉，不要这吃一嘴那吃一嘴，囫囵吞枣，最后都没有消化。我们抓住作风建设这条主线，一以贯之，步步深入。中央政治局从自身做起，形成以上率下的良好氛围。我们强调，作风建设一定要咬住“常”、“长”二字，经常抓、深入抓、持久抓。我们开展党的群众路线教育实践活动、“三严三实”专题教育，健全改进作风常态化制度。我们抓住重要节点，紧盯享乐主义和奢靡之风，加强日常监督检查，严肃查处违规违纪问题，坚决防止反弹，推动党的作风持续向好。我们着眼于以优良党风带动民风社风，发挥优秀党员、干部、道德模范的作用，把家风建设作为领导干部作风建设重要内容，弘扬真善美、抑制假恶丑，营造崇德向善、见贤思齐的社会氛围，推动社会风气明显好转。

第四，强化党内监督，发挥巡视利剑作用。我们加强对巡视工作的领导，擦亮巡视利剑，聚焦发现问题、形成震慑。中央巡视组开展8轮巡视，完成对31个省区市和新疆生产建设兵团、中管国有重要骨干企业、中管金融单位党组织的全面扫描。中央纪委立案审查的中管干部中，一半以上是根据巡视移交的问题线索查处的。我们开展专项巡视，冲着具体事、具体人、具体问题而去，推动查处一批严重违纪违法案件，公开反馈和整改情况，强化不敢、知止的氛围。巡视发现的问题触目惊心，主要表现在违反政治纪律、破坏政治规矩，违反党章要求、无视组织原则，违反廉洁纪律、寻租腐败严重，“四风”屡禁不绝、顶风违纪多发。针对发现的问题，我们坚持标本兼治，剑指问题，倒逼改革，完善制度。各省区市党委、部分中央部委和国家机关部门党组（党委）规范巡视工作，形成了上下联动态势。巡视成为全面从严治党的重要支撑，凸显了党内监督制度的力量。

大量案例表明，权力越大，越容易出现“灯下黑”。强化党内监督，首先要把中央和国家机关管好。派驻机构监督是党和国家监督体系的重要内容，我们实行单独派驻和综合派驻相结合，实现对中央一级党和国家机关全面派驻。各派驻机构强化监督执纪问责，“派”的权威和“驻”的优势明显增强。

第五，严惩腐败分子，加强追逃追赃工作。“锄一害而众苗成，刑一恶而万民悦。”我们坚持有腐必惩、有贪必肃。同时，我们着力解决发生在基层和群众身边的不正之风和腐败问题，让正风反腐给老百姓带来更多获得感。

我们坚定不移反对腐败，使我们占据了国际道义制高点。过去，美国等西方国家总想用反腐败问题来拿捏我们，不断在联合国、二十国集团、亚太经合组织等场合提出所谓反腐败问题。现在，我们在国际上一举转为战略主动。我们加强反腐败国际多边双边合作，启动“天网行动”，加大追逃追赃力度，将一批外逃多年的犯罪分子缉拿归案。我们主动提出一系列反腐败国际合作倡议，倡议构建国际反腐新秩序，特别是加大对美国等西方国家在反腐败合作方面的压力，要求他们不要成为腐败分子的“避罪天堂”。原来他们认为那些犯罪嫌疑人是他们手中的牌，现在都成了手里的烫山芋。各方面对我们敢于向腐败亮剑是佩服的，我们的反腐行动赢得了国际社会尊重。

民心是最大的政治，正义是最强的力量。正所谓"天下何以治？得民心而已！天下何以乱？失民心而已！"社情民意是观察政治问题的晴雨表。反腐败增强了人民群众对党的信任和支持，人民群众给予高度评价。2015 年，国家统计局问卷调查结果显示，91.5%的群众对党风廉政建设和反腐败工作成效表示很满意或比较满意。中国社科院一个问卷调查显示，93.7%的领导干部、92.8%的普通干部、87.9%的企业人员、86.9%的城乡居民对中国反腐败表示有信心或比较有信心。这再次印证党风廉政建设和反腐败斗争顺党心、合民意，有着广泛和坚实的政治基础和群众基础。只要我们管党治党不放松、正风肃纪不停步、反腐惩恶不手软，就一定能赢得这场输不起也决不能输的斗争！

二、坚定不移推进党风廉政建设和反腐败斗争

夺取全面建成小康社会决胜阶段的伟大胜利，关键在党。"打铁还需自身硬"是我们党的庄严承诺，全面从严治党是我们立下的军令状。3 年来，我们着力

解决管党治党失之于宽、失之于松、失之于软的问题，使不敢腐的震慑作用充分发挥，不能腐、不想腐的效应初步显现，反腐败斗争压倒性态势正在形成。

党中央坚定不移反对腐败的决心没有变，坚决遏制腐败现象蔓延势头的目标没有变。全党同志对党中央在反腐败斗争上的决心要有足够自信，对反腐败斗争取得的成绩要有足够自信，对反腐败斗争带来的正能量要有足够自信，对反腐败斗争的光明前景要有足够自信！

同时，我们也要清醒看到，党风廉政建设和反腐败斗争形势依然严峻复杂。从党的十八大以来查处的中管干部违纪违法案件看，腐败分子往往集政治蜕变、经济贪婪、生活腐化、作风专横于一身。党的十八大以来，党中央反复强调领导干部要严守政治纪律和政治规矩，但有的置若罔闻，搞结党营私、拉帮结派、团团伙伙，一门心思钻营权力；有的明知在换届中组织没有安排他，仍派亲信到处游说拉票，搞非组织活动；有的政治野心不小，扬言“活着要进中南海，死了要入八宝山”；有的在其主政的地方建“独立王国”，搞小山头、拉小圈子，对党中央决策部署阳奉阴违，为实现个人政治野心而不择手段。

这些问题是关系党和国家政治安全的大问题，难道还不是政治吗？还用得着闪烁其词、讳莫如深吗？“新松恨不高千尺，恶竹应须斩万竿。”如果不除恶务尽，一有风吹草动就会死灰复燃、卷土重来，不仅恶化政治生态，更会严重损害党心民心。有人说，如果这一次还是出现反弹、出现回潮，那人民就失望了。所以，军令状不是随便立的，我们说到就要做到。

当前，腐败问题依然存在。有的仍心存侥幸，搞迂回战术，卖官帽、批土地、抢项目、收红包，变着花样收钱敛财，动辄几百万、几千万甚至数以亿计；有的欺瞒组织、对抗组织，藏匿赃款赃物，与相关人员订立攻守同盟，企图逃避党纪国法惩处。他们故意制造一些噪音杂音，企图混淆视听，自己好从中脱身。“四风”在面上有所收敛，但并没有绝迹。党的十八大之后查处的领导干部，很多在享乐主义和奢靡之风上没有收手，贪图享乐，大吃大喝，花天酒地，骄奢淫逸，依然我行我素。有的“四风”问题改头换面、花样翻新，出现了各种变异。种种现实表明，全面从严治党任务依然艰巨，必须持续保持高压态势。

2016年党风廉政建设和反腐败工作的总体要求是：全面贯彻党的十八大和十八届三中、四中、五中全会精神，协调推进“四个全面”战略布局，保持坚强政治定力，坚持全面从严治党、依规治党，忠诚履行党章赋予的职责，聚焦监督执纪问责，深化标本兼治，创新体制机制，健全法规制度，强化党内监督，把纪律挺在前面，持之以恒落实中央八项规定精神，着力解决群众身边的不正之风和腐败问题，坚决遏制腐败蔓延势头，建设忠诚干净担当的纪检监察队伍，不断取得党风廉政建设和反腐败斗争新成效。

做好今年工作，重点要把握好以下几点。

第一，尊崇党章，严格执行准则和条例。全面从严治党首先要尊崇党章。党章总纲明确提出“坚持党要管党、从严治党”，这是党的建设的根本方针。党章第37条规定“党组织必须严格执行和维护党的纪律”，这是对主体责任的具体要求。各级党委要在思想认识、方法措施上跟上全面从严治党战略部署，把纪律挺在前面，发现问题就要提提领子、扯扯袖子，使红红脸、出出汗成为常态。对问题严重的，就要打手板、敲警钟，该组织处理的组织处理，该纪律处分的纪律处分。党委书记作为第一责任人，要担负起全面从严治党的政治责任。

勿以善小而不为，勿以恶小而为之。如果开始就咬耳朵、扯袖子，在执纪方面抓得很紧，可以让多少人避免违法？过去形成了这么一种现象，就是不到违法的程度大家都可以“包容”、“宽容”，到了违法就由他去吧。这是对党和干部不负责任的表现。空军的同志说，培养一名飞行员要花相当于其体重一样重的黄金。我们培养一名省部级干部要多少代价？很多干部从基层做起，慢慢成长起来，最后毁于一旦，一失足成千古恨。出问题的人之前就会有迹象，为什么不及时帮助他们认识和解决问题呢？这就需要把纪律挺在前面。

今年1月开始实施的《中国共产党廉洁自律准则》和《中国共产党纪律处分条例》，明确了党员追求的高标准和管党治党的戒尺。有了执纪监督尺子，就要在贯彻执行上下功夫。各级党委和纪委要首先加强对维护党章、执行党的路线方针政策和决议情况的监督检查，重点检查落实党的十八大和十八届三中、四中、五中全会精神的情况，贯彻落实党中央重大决策部署的情况，确保党的集中统一，保证党中央政令畅通。

有权就有责，权责要对等。问责不能感情用事，不能有怜悯之心，要“较真”、“叫板”，发挥震慑效应。前年，我们对湖南衡阳发生的以贿赂手段破坏选举案件严肃问责，给予党纪政纪处分467人，移送司法机关处理69人。去年，我们又对南充拉票贿选案进行彻底调查，对全部477名涉案人员严肃处理。这两起案件性质极为恶劣，是对我们党和社会主义民主制度的挑战。坚决查处这些案件，实施严厉问责，体现了失职必究、执纪必严的鲜明态度。今年，地方领导班子开始换届，要严肃政治纪律和组织纪律，做好问责工作，加大监督和查处力度，确保换届风清气正。任何地方、部门、单位，发生了党的领导作用不发挥、贯彻党的路线方针政策走样、管党治党不严不实、选人用人失察、发生严重“四风”和腐败现象、巡视整改不力等问题，就要抓住典型严肃追责。既追究主体责任、监督责任，又上查一级追究领导责任、党组织责任。要完善和规范责任追究工作，建立健全责任追究典型问题通报制度，把问责同其他监督方式结合起来，以问责常态化促进履职到位，促进党的纪律执行到位。

第二，坚持坚持再坚持，把作风建设抓到底。作风问题本质上是党性问题。对我们共产党人来讲，能不能解决好作风问题，是衡量对马克思主义信仰、对社会主义和共产主义信念、对党和人民忠诚的一把十分重要的尺子。我们既要用铁的纪律整治各种面上的顶风违纪行为，更要睁大火眼金睛，任凭不正之风“七十二变”，也要把它们揪出来，有多少就处理多少。抓作风建设要返璞归真、固本培元，在加强党性修养的同时，弘扬中华优秀传统文化。

这里，我还要强调一下家风问题。从近年来查处的腐败案件看，家风败坏往往是领导干部走向严重违纪违法的重要原因。不少领导干部不仅在前台大搞权钱交易，还纵容家属在幕后收钱敛财，子女等也利用父母影响经商谋利、大发不义之财。有的将自己从政多年积累的“人脉”和“面子”，用在为子女非法牟利上，其危害不可低估。古人说：“将教天下，必定其家，必正其身。”“莫用三爷，废职亡家。”“心术不可得罪于天地，言行要留好样与儿孙。”

在培育良好家风方面，老一辈革命家为我们作出了榜样。每一位领导干部都要把家风建设摆在重要位置，廉洁修身、廉洁齐家，在管好自己的同时，严格要求配偶、子女和身边工作人员。在年前的中央政治局专题民主生活会上，我专门强调了这个问题。我说，我在这里跟大家语重心长嘱咐，要操这点心，家里那点事有时不经意可能就溜过去了，要留留神，防微杜渐，不要护犊子。干部子弟也要遵纪守法，不要以为是干部子弟就谁都奈何不了了。触犯了党纪国法都要处理，而且要从严处理，做给老百姓看。

对那些盘根错节的复杂问题、年代久远的遗留问题、长期形成的惯性问题，要以燕子垒窝的恒劲、蚂蚁啃骨的韧劲、老牛爬坡的拼劲，坚持不懈，攻坚克难，善作善成。

第三，实现不敢腐，坚决遏制腐败现象滋生蔓延势头。只要谁敢搞腐败，就必须付出代价。一棵参天大树，如任蛀虫繁衍啃咬，最终必会逐渐枯萎。惩治腐败这一手必须紧抓不放、利剑高悬，坚持无禁区、全覆盖、零容忍。要重点查处政治问题和腐败问题交织，不收敛不收手，问题线索反映集中、群众反映强烈、现在重要岗位且可能还要提拔使用的领导干部。要深入剖析严重违纪违法干部的典型案例，发挥警示、震慑、教育作用。

要加大国际追逃追赃力度，推动二十国集团、亚太经合组织、《联合国反腐败公约》等多边框架下的国际合作，实施重大专项行动，把惩治腐败的天罗地网撒向全球，让已经潜逃的无处藏身，让企图外逃的丢掉幻想。

第四，推动全面从严治党向基层延伸。当前，基层干部队伍主流是好的，但在一些地方、部门、单位，基层干部不正之风和腐败问题还易发多发、量大面广。有的搞雁过拔毛，挖空心思虚报冒领、克扣甚至侵占惠农专项资金、扶贫资金；有的在救济、补助上搞优亲厚友、吃拿卡要；有的高高在上，漠视群众疾苦，形式主义、官僚主义严重；有的执法不公，甚至成为家族势力、黑恶势力的代言人，横行乡里、欺压百姓。

相对于“远在天边”的“老虎”，群众对“近在眼前”嗡嗡乱飞的“蝇贪”感受更为真切。“微腐败”也可能成为“大祸害”，它损害的是老百姓切身利益，啃食的是群众获得感，挥霍的是基层群众对党的信任。对基层贪腐以及执法不公等问题，要认真纠正和严肃查处，维护群众切身利益，让群众更多感受到反腐倡廉的实际成果。

县委是我们党执政兴国的“一线指挥部”，县委书记就是“一线总指挥”。省市两级党委要落实主体责任，抓好县委这个关键，特别是要强化县委书记的责任担当，加强基层组织和干部队伍建设，把基层党组织建设成坚强战斗堡垒，充分发挥广大党员、干部先锋模范作用。

第五，标本兼治，净化政治生态。政治生态好，人心就顺、正气就足；政治生态不好，就会人心涣散、弊病丛生。当前，有的地方和部门正气不彰、邪气不祛；“明规矩”名存实亡，“潜规则”大行其道；求真务实、埋头苦干的受到排挤，好大喜功、急功近利的如鱼得水。这种风气不纠正、不扭转，对干部队伍杀伤力很大。“浇风易渐，淳化难归。”净化政治生态同修复自然生态一样，绝非一朝一夕之功，需要综合施策、协同推进。

各级领导干部特别是高级干部要从自身做起，给下级带个好头。中华民族历来都有珍惜名节、注重操守、干净为官的传统，历来都讲“为政以德”、“守土有责”，领导干部要秉公用权、廉洁用权，做遵纪守法的模范，同时要坚持原则、敢抓敢管。要坚持正确用人导向，把好干部选出来、用起来，促进能者上、庸者下、劣者汰。要抓住建章立制，立“明规矩”、破“潜规则”，围绕发生的腐败案例，查找漏洞，吸取教训，着重完善党内政治生活等各方面制度，压缩消极腐败现象生存空间和滋生土壤，通过体制机制改革和制度创新促进政治生态不断改善。

三、坚定不移推进全面从严治党

党要管党、从严治党，是党的建设的一贯要求和根本方针。现在，党内有些同志感到不适应，有的说要求太严，管得太死，束缚了手脚；有的说党员、干部也有七情六欲，管党治党应“人性化”；有的说都去抓管党治党，经济社会发展没精力抓了。说来说去，就是希望松一点、宽一点。2012 年 12 月，我在中央政治局会议审议八项规定时就说过，我们不舒服一点、不自在一点，老百姓的舒适度就好一点、满意度就高一点，对我们的感觉就好一点。《诗经》中说“战战兢兢，如临深渊，如履薄冰”，就是说官当得越大，就越要谨慎，古往今来都是如此，每一个党员、干部特别是领导干部都应该明白这个道理。

全面从严治党永远在路上。最近，巡视发现，有的党组织和领导干部党的观念淡薄，把经济建设和党的领导割裂开来，对管党治党心不在焉；有的只顾抓权力，不去抓监督，任命干部时当仁不让，平时对干部却放任自流，出了事就撂挑子给纪委；有的原则性不强，对歪风邪气不抵制不斗争，一味遮丑护短，甚至为违纪违法者说情开脱；有的地方党委不抓总、不统筹，党的建设部门化，“铁路警察、各管一段”，等等。这些问题的存在，削弱了党的创造力、凝聚力、战斗力，必须加以解决。

第一，各级党组织要担负起全面从严治党主体责任。全面从严治党，核心是加强党的领导，基础在全面，关键在严，要害在治。“全面”就是管全党、治全党，面向 8700 多万党员、430 多万个党组织，覆盖党的建设各个领域、各个方面、各个部门，重点是抓住“关键少数”。“严”就是真管真严、敢管敢严、长管长严。“治”就是从党中央到省市县党委，从中央部委、国家机关部门党组（党委）到基层党支部，都要肩负起主体责任，党委书记要把抓好党建当作分内之事、必须担当的职责；各级纪委要担负起监督责任，敢于瞪眼黑脸，勇于执纪问责。3 年多来从严治党的实践已经试出了人心向背，我们必须坚持不懈抓下去，使管党治党真正从宽松软走向严紧硬。

全面从严治党是各级党组织的职责所在。从党风廉政建设主体责任到全面从严治党主体责任，不只是字面上的变化，更是实践的发展、认识的深化。党风廉政建设和反腐败工作是全面从严治党的一部分，党的建设必须全面从严，各级党组织及其负责人都是责任主体。

落实主体责任，关键是要把党的领导落到实处。各级党组织要牢固树立不管党治党就是严重失职的观念，在工作的方方面面体现党的领导。要把党的领导体现到日常管理监督中，敢于较真，注重日常，抓早抓小，防微杜渐，体现组织严格要求和关心爱护，决不能坐看自己的同志在错误的道路上越滑越远。党委书记要做管党治党的书记，当好第一责任人，对党负责，对本地区本单位的政治生态负责，对干部健康成长负责。要把责任传导给所有班子成员，压给下面的书记，确保责任落到实处。

第二，把纪律建设摆在更加突出位置。1859 年，马克思在致恩格斯的信中指出："必须绝对保持党的纪律，否则将一事无成。"无数案例证明，党员"破法"，无不始于"破纪"。只有把纪律挺在前面，坚持纪严于法、纪在法前，才能克服“违纪只是小节、违法才去处理”的不正常状况，用纪律管住全体党员。这一个时期，我们严肃党的纪律，许多干部从不适应到适应，由不相信到相信，由被动到主动，校准了思想之标，调整了行为之舵，绷紧了作风之弦。这是好现象。

加强纪律建设，一是要健全完善制度，以党章为根本遵循，本着于法周延、于事有效的原则，制定新的法规制度，完善已有的法规制度，废止不适应的法规制度，健全党内规则体系，扎紧党纪党规的笼子。二是要深入开展纪律教育，加强学习宣传教育，使党员、干部增强纪律意识，把党章党规党纪刻印在心上，形成尊崇党章、遵守党纪的良好习惯。三是要狠抓执纪监督，以纪律为尺子衡量党员、干部的行为，对违纪问题发现一起就查处一起，提高纪律执行力，维护纪律严肃性。四是要养成纪律自觉，教育引导广大党员、干部特别是领导干部严格按党章标准要求自己，知边界、明底线，把他律要求转化为内在追求，自觉以身作则，发挥表率作用。

惩前毖后、治病救人是我们党的一贯方针，也是我们党加强自身建设的历史经验。日常工作中发现了问题就要真管真严。惩治，治是根本，惩是为了治。要通过加强纪律建设和纪检工作，管住纪律、看住权力，使干部向高标准努力，不犯或少犯错误特别是严重错误，这才是党组织对党员、干部最大的关心和爱护。

第三，增强领导干部政治警觉性和政治鉴别力。政治问题，任何时候都是根本性的大问题。全面从严治党，必须注重政治上的要求，必须严明政治纪律，特别是各级领导干部要时刻绷紧政治纪律这根弦，坚持党的领导不动摇，贯彻党的路线方针政策不含糊，始终做政治上的明白人。大量事实表明，在政治纪律方面放松警惕、降低要求是危险的。强调政治纪律不是泛泛讲的，而是有现实针对性的。有的党员、干部在重大原则问题上立场摇摆，对党中央决策部署和三令五申的要求，阳奉阴违甚至搞非组织活动，公开发表反对党的路线方针政策和决议的言论；有的党组织觉得政治纪律是“软”的、“虚”的，对违反政治纪律的错误言行不在意、不报告、不抵制、不斗争，更谈不上查处。我们要求党员、干部不能妄议中央，不是说不能提意见和建议甚至批评性意见，而是不能在重大政治原则问题上、在大是大非问题上同党中央唱反调、搞政治上的自由主义。

国事无私，政道去邪，法不容情。全面从严治党、严明党的纪律，决不能回避政治问题，对政治隐患就要从政治高度认识。党内存在野心家、阴谋家，从内部侵蚀党的执政基础，我们不能投鼠忌器，王顾左右而言他，采取鸵鸟政策，这个必须说清楚。全党必须讲政治，把政治纪律摆在首位，消弭隐患、杜绝后患。

我说过“两面人”的问题，大量案件表明，党内有一些人在这方面问题很突出。有的修身不真修、信仰不真信，很会伪装，喜欢表演作秀，表里不一、欺上瞒下，说一套、做一套，台上一套、台下一套，当面一套、背后一套，手腕高得很；有的公开场合要党员、干部坚定理想信念，背地里自己不敬苍生敬鬼神，笃信风水、迷信“大师”；有的口头上表态坚定不移反腐败，背地里对涉及领导干部的问题线索不追问、不报告；有的张口“廉洁”、闭口“清正”，私底下却疯狂敛财。这种口是心非的“两面人”，对党和人民事业危害很大，必须及时把他们辨别出来、清除出去。

各级干部特别是领导干部要善于从政治上看问题，站稳立场、把准方向。要始终忠诚于党，不折不扣执行党的路线方针政策，自觉从思想上政治上行动上同党中央保持高度一致；始终对组织坦诚，相信组织、依靠组织、服从组织，自觉接受组织安排和纪律约束；始终正确对待权力，立志为人民做好事、做实事，安分守己为党工作；始终牢记政治责任，襟怀坦白，言行一致，自觉维护党的形象。各级党组织要把违反政治纪律问题作为纪律审查的重要内容，带动其他纪律严起来，坚决维护党的集中统一。

第四，坚持高标准和守底线相结合。全面从严治党，既要注重规范惩戒、严明纪律底线，更要引导人向善向上，发挥理想信念和道德情操引领作用。“身之主宰便是心”；“不能胜寸心，安能胜苍穹”。“本”在人心，内心净化、志向高远便力量无穷。对共产党人来讲，动摇了信仰，背离了党性，丢掉了宗旨，就可能在“围猎”中被人捕获。只有在立根固本上下功夫，才能防止歪风邪气近身附体。

各级党组织要教育引导党员、干部坚定理想信念，坚持“三个自信”，坚守共产党人精神追求，筑牢拒腐防变思想道德防线。要关注党员、干部思想动态、工作表现，也要注意他们的生活作风和情趣，发现问题及时引导纠正。要完善干部考核评价和选任办法，既重能力又重品行，既重政绩又重政德，使品德端正的干部受到褒奖和重用、品行低劣的干部受到警醒和惩戒。

四、积极探索强化党内监督的有效途径

对我们党来说，外部监督是必要的，但从根本上讲，还在于强化自身监督。我们要总结经验教训，创新

管理制度，切实强化党内监督。

坚持民主集中制是强化党内监督的核心。当前，党内集中不够和民主不够的问题同时存在。有的软弱涣散，我行我素、各行其是，党的路线方针政策落实不到位；有的独断专行，搞家长制、"一言堂"，个人凌驾于组织之上，党内民主得不到充分保障，领导干部特别是一把手的权力受不到有效制约。不能"你有你的关门计，我有我的跳墙法"。强化党内监督，必须坚持、完善、落实民主集中制，把民主基础上的集中和集中指导下的民主有机结合起来，把上级对下级、同级之间以及下级对上级的监督充分调动起来，确保党内监督落到实处、见到实效。

第一，完善监督制度，做好监督体系顶层设计。党要管党、从严治党，"管"和"治"都包含监督。党委监督是全方位的监督，包括对党员的批评教育、组织处理、纪律处分等工作，党委要任命干部，更要监督干部。纪委监督重点是履行监督执纪问责的职责。党内监督是全党的任务，第一位的是党委监督，不能一谈到监督就只想到纪委或推给纪委。

我们党的执政是全面执政，从立法、执法到司法，从中央部委到地方、基层，都在党的统一领导之下。我国公务员队伍中党员比例超过80%，县处级以上领导干部中党员比例超过95%。因此，监督国家公务员正确用权、廉洁用权是党内监督的题中应有之义。要做好监督体系顶层设计，既加强党的自我监督，又加强对国家机器的监督。

现行党内监督条例，监督主体比较分散，监督责任不够明晰，监督制度操作性和实效性不强。要围绕责任设计制度，围绕制度构建体系，强化上级党组织对下级党组织和党员、领导干部的监督，做到责任清晰、主体明确、制度管用、行之有效，并加强同党内其他法规的衔接，把制度框架确立起来。

党的十八大以来，我们在问责方面查了一些典型，体现了有权必有责、有责要担当、失职必追究，推动了“两个责任”落实。当前的一个问题是，抓安全事故等行政问责多、抓管党治党不力问责少，问责规定零散、内容不聚焦。要整合问责制度，健全问责机制，坚持有责必问、问责必严，把监督检查、目标考核、责任追究有机结合起来，实现问责内容、对象、事项、主体、程序、方式的制度化、程序化。

行政监察法要体现党中央关于中央纪委、监察部合署办公，中央纪委履行党的纪律检查和政府行政监察两项职能，对党中央全面负责的精神。监察对象要涵盖所有公务员。要坚持党对党风廉政建设和反腐败工作的统一领导，扩大监察范围，整合监察力量，健全国家监察组织架构，形成全面覆盖国家机关及其公务员的国家监察体系。

强化党内监督是为了保证党立党为公、执政为民，强化国家监察是为了保证国家机器依法履职、秉公用权，强化群众监督是为了保证权力来自人民、服务人民。要把党内监督同国家监察、群众监督结合起来，同法律监督、民主监督、审计监督、司法监督、舆论监督等协调起来，形成监督合力，推进国家治理体系和治理能力现代化。

第二，强化巡视监督，发挥从严治党利器作用。巡视是党内监督的战略性制度安排。明代以后有八府巡按，走到哪里，捧着尚方宝剑，八面威风。我们的巡视不是八府巡按，但必须有权威性，成为国之利器、党之利器。推动巡视向纵深发展，根本在于贯彻中央巡视工作方针。要重点检查被巡视党组织是否维护党章权威、贯彻从严治党方针、执行党的路线方针政策和决议，是否存在党的领导弱化、主体责任缺失、从严治党不力等问题，督促其担负起管党治党责任。要以党的纪律为尺子，重点检查政治纪律执行情况，着力发现腐败、纪律、作风和选人用人方面的突出问题，更好发挥震慑遏制治本作用。要以贯彻执行巡视工作条例为契机，提高依规依纪巡视能力，推动巡视工作制度化、规范化。

巡视全覆盖本身就是震慑。中央一级巡视对象共有280多个单位，目前还有100多个要巡视，任务十分繁重。下一步，要完成对中央和国家机关的巡视，实现中央部门全覆盖。要继续创新体制机制，建立健全组织领导、统筹协调、报告反馈、整改落实、队伍建设等工作机制。要创新组织制度，内部挖潜、盘活存量，充实队伍、优化结构。要创新方式方法，使专项巡视更专、更活、更准。

对巡视发现的问题和线索，要分类处置、注重统筹，在件件有着落上集中发力。纪检机关、组织部门要及时跟进，分清问题性质，所有问题都要有明确说法。巡视发现的问题，根本责任在被巡视单位党组织，自己的问题必须自己“买单”，不能发现问题后还当“看客”和“说客”。对巡视整改落实情况，要开展“回头看”，揪住不放；对敷衍整改、整改不力、拒不整改的，要抓住典型，严肃追责。

巡视组对发现的问题要挖出深层次原因，提出意见和建议，督促被巡视单位党组织堵塞制度漏洞。巡视发现的诸多问题，除历史和主观原因之外，客观上是体制机制不健全，特别是在管人管事管资产方面，制度缺失和制度执行不力并存，监督手段和监督措施缺位。要深化监管体制改革，切实管细管实，做到有力有效。各省区市党委要加强对巡视工作的领导，确保在本届任期内实现巡视全覆盖。省区市党委书记和中央部委部长（主任）、国家机关部门党组（党委）书记对巡视发现的重点问题，要点出具体人头、提出具体意见，不能点个卯、表个态就完事。

第三，用好批评和自我批评这个武器。毛泽东同志说过："定期召开会议，进行批评和自我批评，这是一种同志间互相监督，促使党和国家事业迅速进步的好办法。"邓小平同志强调："在党委会里面，应该有那么一段时间交交心，真正造成一个好的批评和自我批评的空气。"党的十八大以来，党内生活总体上是积极健康的，特别是经过党的群众路线教育实践活动和"三严三实"专题教育，党内政治生活更加健全。同时，在一些地方和部门，政治生活庸俗化、随意化、平淡化现象还大量存在，一些党组织和党员缺乏运用批评和自我批评武器的勇气，这既害自己又耽误同志，最终伤害的是党的事业。

批评和自我批评存在的普遍性问题是，自我批评难，相互批评更难。难就难在为人情所困、为利益所惑，怕结怨树敌、怕引火烧身，说到底还是私心杂念作怪，缺乏党性和担当。“反听之谓聪，内视之谓明，自胜之谓强。”对自己的缺点错误，要敢于正视、主动改正。对别人的缺点错误，要敢于指出、帮助改进。对同志的提醒批评，要闻过则喜、虚心接受。自我批评要一日三省，相互批评要随时随地，不要等小毛病发展成大问题再提。要让批评和自我批评成为党内生活的常态，成为每个党员、干部的必修课。

这两年，各级领导班子民主生活会的质量有了一定提高，但走过场的问题仍很突出。民主生活会要及时开，遇到重要问题或普遍性问题，需要集体批评和自我批评的，就要召开民主生活会，把事情说清楚、谈透彻。有了群众反映，接到揭发检举，经过查核确有轻微违规违纪行为，就要让犯错误的同志在民主生活会上自我检讨，大家批评帮助，共同敲响警钟。对巡视反馈的领导干部“四风”问题和违反廉洁纪律问题，要在民主生活会上进行剖析批评，提出整改措施。上级党组织要加强对下级领导班子民主生活会的督促指导，提高民主生活会质量和水平。

第四，抓住“关键少数”，破解一把手监督难题。各级领导班子一把手是“关键少数”中的“关键少数”。一把手违纪违法最易产生催化、连锁反应，甚至造成区域性、系统性、塌方式腐败。许多违纪违法的一把手之所以从“好干部”沦为“阶下囚”,有理想信念动摇、外部“围猎”的原因,更有日常管理监督不力的原因。领导干部责任越重大、岗位越重要,就越要加强监督。

严是爱,松是害。各级党组织要多设置一些监督“探头”,使一把手置身于党组织、党员、群众监督之下。上级对下级尤其是上级一把手对下级一把手的监督最管用、最有效。上级党组织要多了解下级一把手日常的思想、工作、生活状况,多注意干部群众对下级一把手问题的反映,多听取下级领导班子成员对一把手的意见。党员、干部可在党的会议上和干部提拔、领导干部述职述廉等环节对一把手实施监督。

上级纪委要把下级一把手纳入监督重点,发现问题线索及时处置。同级纪委要定期将同级领导班子成员特别是一把手落实主体责任、执行民主集中制、廉洁自律等情况向上级纪委报告;平时掌握了对下级一把手的反映,就要及时报告同级党委书记。要健全对一把手的监督制度,完善领导班子议事制度,对集体讨论事项,每个班子成员必须亮明态度并记录在案。要建立干部选拔任用问责制度,做到谁提名谁负责,谁考察谁负责,谁主持会议讨论决定谁负责。建立领导干部插手重大事项记录制度,对违规过问下级有关事项如实登记和问责。

第五，纪委要在全面从严治党中找准职责定位，强化监督执纪问责。纪委是党内监督的专门机关，是管党治党的重要力量。党章规定了纪委的3项主要任务和5项经常性工作，概括起来，就是监督执纪问责。党的十八大以来，各级纪委聚焦主责主业，持续转职能、转方式、转作风，推进理念思路、体制机制、方式方法创新，做了大量卓有成效的工作。各级党委要加强领导，旗帜鲜明支持纪委开展工作，特别是要加强反腐败协调机制建设，把反腐败协调小组的组织协调职能做实。各级纪委要在全面从严治党中找准定位，全面履行党章赋予的职责，开创纪律检查工作新局面。

各级纪委要带头尊崇党章，把维护党章和其他党内法规作为首要任务，加强对遵守党章、执行党纪情况的监督检查，严肃查处违反党章党规党纪的行为，坚决维护党章权威，做党章的坚定执行者和忠实捍卫者。“四个服从”中，最根本的是全党服从中央。各级纪委要突出加强党的领导这个根本，确保党中央政令畅通。要坚持不懈纠正“四风”，保持惩治腐败高压态势，推进标本兼治，不断取得工作新成效。

监督别人的人首先要监管好自己，执纪者要做遵守纪律的标杆。各级纪委要以更高的标准、更严的纪律要求纪检监察干部保持队伍纯洁，努力建设一支忠诚、干净、担当的纪检监察队伍。

对党风廉政建设和反腐败斗争，要加强宣传舆论引导。随着反腐败斗争持续深入，社会上出现了一些值得注意的舆论倾向和氛围。有几种论调还很有些市场，比如，反腐同群众利益无关，反腐让干部不作为，反腐影响经济发展，反腐是权力斗争，反腐应当缓缓手，等等。对这些模糊认识和错误言论，必须加以辨析、引导，驳斥错误言论，化解消极情绪，消除偏见误解，说清楚我们党反腐败不是看人下菜的“势利店”，不是争权夺利的“纸牌屋”，也不是有头无尾的“烂尾楼”，从而为深入开展党风廉政建设和反腐败斗争营造良好舆论氛围。